GARFIELD
boîte à
surprise
PAR JIM DAVIS

JIM DAVIS

TRADUIT DE L'AMÉRICAIN PAR
JEAN-ROBERT SAUCYER

Version française:
Presses Aventure, une division de
Les Publications Modus Vivendi Inc.
C.P. 213, Dépôt Sainte-Dorothée
Laval (Québec)
Canada
H7X 2T4

Dépôt légal: 1ier trimestre 1997
Bibliothèque nationale du Québec
Bibliothèque nationale du Canada

ISBN: 2-922148-09-2

PROGRAMME ÉLECTORAL DE GARFIELD

IL ABOLIRA LES LUNDIS.

IL FRAPPERA LES GYMNASES ET LES SPAS D'UNE TAXE SUR LA SUEUR.

IL SUBVENTIONNERA LA SIESTE À TOUTE HEURE DU JOUR.

IL DÉBLOQUERA DES CRÉDITS POUR LA GUERRE CONTRE L'HALEINE DES CHIENS.

IL METTRA SUR PIED UN COMITÉ PRÉSIDENTIEL SUR LES CASSE-CROÛTE.

IL OBLIGERA TOUTES LES CAFÉTÉRIAS DES ÉCOLES À OFFRIR UN GRAND CHOIX DE DESSERTS.

Dr Liz
Odie
GARFIELD®
Jon
Nermal

SALUT!

HÉ! VOUS ÊTES INFIRMIÈRE!
JPM DAVIS

QUEL HASARD!
ÊTES-VOUS INFIRMIER?

NON, MAIS J'AI SUBI UNE APPENDICECTOMIE

8-13
VOULEZ-VOUS VOIR MA CICA-TRICE?
SI!

RINCEZ-VOUS L'ŒIL!
ENCORE UN SCANDALE DANS LA FAMILLE!

MERCI DE VOTRE OVATION!
CLAP CLAP CLAP CLAP
JIM DAVIS 8-14
CLAP CLAP
YAAAY!
CLAP
BRAVO
© 1995 PAWS, INC./Distributed by Universal Press Syndicate
CLAP CLAP
CLAP CLAP
CLAP

© 1995 PAWS, INC./Distributed by Universal Press Syndicate
SLURP

BOING BOING BOING
JIM DAVIS 8-15

CLOMP BLOP
CLOMP BLOP
CLOMP BLOP
CLOMP BLOP
CLOMP BLOP

CLOMP BLOP
CLOMP BLOP
CLOMP BLOP
CLOMP BLOP
CLOMP BLOP

JAMBE DE BOIS!
JIM DAVIS 8-16

JIM DAVIS 8-17

CLIC

OUILLE!!!

GARE!
TCHAC!

JIM DAVIS 8-18

TRACTIONS ABDOMINALES!
JIM DAVIS 8-19

GARFIELD®

DODO?
DODO!

FLAP
FLAP
TAP TAP
POF POF
POF

FLAP
FLAP
TAP TAP
POF POF
POF

POF POF POF
POF
POF
POF
POF

Z
JIM DAVIS 8-20

TU AIMES ATTIRER L'ATTENTION, N'EST-CE PAS?

JIM DAVIS 8-21
NON, PAS DU TOUT!

JIM DAVIS 8-22
WOUFF
WOUFF
WOUFF
WOUFF
WOUFF
WOUFF

À TON TOUR!

WOUFF
WOUFF
WOUFF
UN STAGIAIRE!
WOUFF
WOUFF
WOUFF

QUI NE BOUGE PAS L'EMPORTE!

TU GAGNES!

HA! J'AI GAGNÉ!
JIM DAVIS 8-23

J'AI PLONGÉ DANS LA PISCINE
JIM DAVIS 8-24

SOUDAIN, ON S'EST ÉCRIÉ : "DES RATS À L'EAU!"

J'AURAIS VOULU ÊTRE AILLEURS!
IL VAUT MIEUX, EN CERTAINS ENDROITS, NE PAS PORTER DE MOUMOUTE SUR LE TORSE

JIM DAVIS 8-25

PLOP!
© 1995 PAWS, INC./Distributed by Universal Press Syndicate

TU REGARDAIS ENCORE UN COURS DE CUISINE TÉLÉVISÉ?
ÉMOTIVEMENT, JE SUIS ÉPUISÉ!

NOUS N'AVONS PLUS DE KETCHUP
JIM DAVIS 8-26

COMMENT CELA SE FAIT-IL?
© 1995 PAWS, INC./Distributed by Universal Press Syndicate

AUCUNE IDÉE!

GARFIELD
Z
Z
Z
JIM DAVIS 8-27
© 1995 PAWS, INC./Distributed by Universal Press Syndicate
Z
♫
DING DING

QUEL TEMPS SPLENDIDE! POURQUOI NE PAS SE RENDRE À LA PLAGE?

À PROPOS, LA TÉLÉ EST EN PANNE
VITE! MON MAILLOT!
JIM DAVIS 8-28

HEU... JE N'AI PLUS QU'À ME DÉVÊTIR

J'AI TOUT PRÉVU; J'AI ENFILÉ MON MAILLOT SOUS MON PANTALON
ZIP
JIM DAVIS 8-29

Aïe!
Ouah!
OUILLE!
PERSONNE NE PORTE UN SANDWICH AU SALAMI AUSSI BIEN QUE JON!

JIM DAVIS 8-30
GARFIELD! ODIE!

ALLEZ! JE NE SUIS PAS RIDICULE À CE POINT!
© 1995 PAWS, INC./Distributed by Universal Press Syndicate

N'EST-CE PAS?

ALLEZ GARFIELD! JOUONS AU BALLON!

© 1995 PAWS, INC./Distributed by Universal Press Syndicate
ALLEZ! POUR RIGOLER! JE T'EN PRIE! ALLEZ! ALLEZ! ALLEZ!
JIM DAVIS 8-31

HÉ! C'ÉTAIT RIGOLO!

QU'EST-CE DONC QUI ME PLAÎT TANT À LA PLAGE?
JIM DAVIS 9-1

OH! OUI! JE ME SOUVIENS
© 1995 PAWS, INC./Distributed by Universal Press Syndicate

ABSOLUMENT RIEN!

QUE DIRIEZ-VOUS DE SURFER EN DUO AVEC MOI?

JIM DAVIS 9-2
SSSSSSSSSSS
© 1995 PAWS, INC./Distributed by Universal Press Syndicate

UN SIMPLE "NON" AURAIT SUFFI!
PAUVRE RUSTY!

Garfield
PAUSE-CAFÉ!

EUF

EUF
JIM DAVIS 9-3

EUF

EUF

Z
JIM DAVIS 9-4

Z

CERTAINS JOURS, TOUT EST ARDU; D'AUTRES JOURS, TOUT EST TROP FACILE!
© 1995 PAWS, INC./Distributed by Universal Press Syndicate

DURE JOURNÉE À LA PLAGE, GARFIELD!
JE T'AVAIS PRÉVENU DE NE PAS SORTIR
JIM DAVIS
9-5

© 1995 PAWS, INC./Distributed by Universal Press Syndicate
J'AI CROISÉ LA PIRE DES BRUTES
AH OUI?

IL M'A FORCÉ À ME LANCER DU SABLE EN PLEIN VISAGE
BRR! JE FRISSONNE RIEN QUE D'Y PENSER!

TAP
TAP
JIM DAVIS 9-6

OUILLE!
© 1995 PAWS, INC./Distributed by Universal Press Syndicate

QUOI?!
ÇA VA MIEUX, CE COUP DE SOLEIL?

DES OISEAUX GAZOUILLANT À MA FENÊTRE M'ONT ÉVEILLÉ
JIM DAVIS 9-7

M'OFFRANT UNE SÉRÉNADE À L'AUBE
© 1995 PAWS, INC./Distributed by Universal Press Syndicate

POUR ACCUEILLIR LE LEVER DU SOLEIL
DEMAIN, NOUS POURRONS FAIRE LA GRASSE MATINÉE!

JON VOULAIT QUE JE TONDE LA PELOUSE
© 1995 PAWS, INC./Distributed by Universal Press Syndicate

JE VOULAIS DORMIR

NOUS AVONS TROUVÉ UN COMPROMIS
JIM DAVIS 9-8

JE NE DEVRAIS PAS BOTTER ODIE
PIF!

CRAC!
VRAIMENT, JE NE DEVRAIS PAS
© 1995 PAWS, INC./Distributed by Universal Press Syndicate

TU NE DEVRAIS PAS MANGER TOUTE LA CRÈME GLACÉE
VRAIMENT, JE NE DEVRAIS PAS
CRÈME GLACÉE
JIM DAVIS 9-9

GARFIELD®

Z

EUF
JIM DAVIS 9-10

JE DÉTESTE LE LUNDI... C'EST UN JOUR ENNUYEUX... PAUVRE DE MOI!
GRATT GRATT
© 1995 PAWS, INC./Distributed by Universal Press Syndicate

APPORTE LE JOURNAL, GARFIELD!
EUF... OUI, MAÎTRE!

C'EST DIMANCHE!

JON EST FACILE À DUPER
JIM DAVIS 9-11

HELLO, M'SIEUR! JE SUIS UN GENTIL MINET!

OÙ EST GARFIELD?
J'AI DU TALENT!

JIM DAVIS 9-12
GARE AU CHIEN

GARE AU CHIEN

VAS-Y! FAIS-MOI PEUR!
JE DÉTESTE CETTE AFFICHE!
GARE AU CHIEN

CLIC
CLIC
CLIC
CLIC

RIEN D'INTÉRESSANT!

Les chiens sont idiots!
TIENS DONC!
JIM DAVIS 9-13

ÉTRANGE!
JIM DAVIS 9-14

J'AI DU MAL À OBTENIR UN RENDEZ-VOUS GALANT

LA FERME!
J'AI DES GLOUGLOUS DANS L'ESTOMAC

JIM DAVIS 9-15

HÉ! QU'EST-IL ADVENU DE L'AUTRE RIDEAU?
© 1995 PAWS, INC./Distributed by Universal Press Syndicate

TU LE CHERCHERAS AU RETOUR DE NOS VACANCES À HAWAII!

ARRGCHHH!
© 1995 PAWS, INC./Distributed by Universal Press Syndicate

ÇA NE FONCTIONNE PAS!

ZUT! JE SUIS ASSIS DANS LA COLLE!!
IL N'EST PAS FAIT POUR LES MODÈLES RÉDUITS
JIM DAVIS 9-16

GARFIELD!

HMMMM

JE NE RONRONNE PLUS DEPUIS LONGTEMPS

LES CHATS RONRONNENT LORSQU'ILS SONT HEUREUX ET SATISFAITS...
© 1995 PAWS, INC./Distributed by Universal Press Syndicate

EST-CE QUE JE NE SERAIS PLUS HEUREUX? C'EST AFFREUX!

JE SUIS DÉPRIMÉ

PIF

RONRON RONRON
JIM DAVIS 9-17

L'OURSON VOLANT REPART À L'AVENTURE!

BANZAI!
SPLOUSH

OÙ VAS-TU COMME ÇA?
VAMPIRISER MON OURSON GORGÉ DE SANGRIA!
JIM DAVIS 9-18

JIM DAVIS 9-19

CÂLIN

J'AIMERAIS ME FAIRE CÂLINER COMME ÇA!

JIM DAVIS 9-20

J'AI PARFOIS L'IMPRESSION QUE TU AIMES DAVANTAGE TON OURSON QUE MOI

NE SOIS PAS SI DUR ENVERS TOI-MÊME

AUSSI LONGTEMPS QUE TU SAURAS MANIER UN OUVRE-BOÎTE, TU AURAS UNE PLACE DANS MON CŒUR!
TAP
TAP
JIM DAVIS 9-21

Z
JIM DAVIS 9·22

Z

Z

NOUNOURS, T'ES MON SEUL AMI!

TOI SEUL ME COMPREND...

JIM DAVIS 9·23
TU ES LE SEUL AVEC QUI JE PEUX PARTAGER MA GAMELLE!

CRAC!
POP!

UN, DEUX, UN, DEUX, UN, DEUX...

IL EST IMPORTANT D'ÉTIRER SES MUSCLES ET DE LES ÉCHAUFFER....

AVANT TOUT EXERCICE QUI EXIGE DE L'EFFORT
© 1995 PAWS, INC./Distributed by Universal Press Syndicate

CLIC CLIC CLIC CLIC CLIC CLIC
CLIC CLIC CLIC CLIC
CLIC CLIC CLIC CLIC
CLIC CLIC CLIC CLIC
CLIC CLIC CLIC
JIM DAVIS 9-24

JIM DAVIS 9-25

J'IGNORE JON

© 1995 PAWS, INC./Distributed by Universal Press Syndicate

JIM DAVIS 9-26

EEEERRRRRGGHHHH
JIM DAVIS 9-27

NNNNGGGGHHHHH

HÉ! DES CORNICHONS!
SERS-TOI! JE SUIS TROP FATIGUÉ POUR MANGER!

IL Y A PLUSIEURS CHOSES TE CONCERNANT SUSCEPTIBLES D'ÊTRE AMÉLIORÉES
JIM DAVIS 9-28

DEPUIS QUAND JON CONVERSE-T-IL AVEC LUI-MÊME?

AIMES-TU MON NOUVEAU COSTUME, GARFIELD?
SÛREMENT UNE LOCATION!

J'AI RENDEZ-VOUS AVEC UNE FILLE!
SÛREMENT UNE LOCATION!

ELLE TROUVE QUE J'AI BEAUCOUP DE STYLE!
IL FLIRTE AVEC UN CLOWN!
JIM DAVIS 9-29

LE CONGÉLATEUR EST DÉFECTUEUX
ET NOUS SOMMES À COURT DE GLAÇONS!
JIM DAVIS 9-30

GARFIELD

TÉLÉPHONE AUX SECOURISTES!
JIM DAVIS 10-1

JON! C'EST ODIE!
SCREEEEEE

IL EST PRISONNIER EN HAUT D'UN ARBRE!

IL NE PEUT EN REDESCENDRE!

© 1995 PAWS, INC./Distributed by Universal Press Syndicate

ODIE SEMBLE LIGOTÉ À CETTE BRANCHE
CROIS-TU QUE LES SECOURISTES PASSERAIENT PAR LA PIZZERIA EN VENANT ICI?

Sapristi! Le voilà!
JIM DAVIS 10-2

C'est jour de parade militaire!

Maman, regarde la fanfare!
JE TE DÉTESTE!
© 1995 PAWS, INC./Distributed by Universal Press Syndicate

GARFIELD, À QUOI DEVRONS-NOUS NOUS RÉSOUDRE LORSQUE TU NE PASSERAS PLUS DANS LE CADRE DE PORTE?
© 1995 PAWS, INC./Distributed by Universal Press Syndicate

À ÉLARGIR LE CADRE?

À MAIGRIR!
RÉNOVER SERA PLUS FACILE!
JIM DAVIS 10-3

Deux cent cinquante grammes
JIM DAVIS 10-4

Vous avez pris un kilo
LA VIE EST INJUSTE!

GARFIELD! ME REVOILÀ!

TE REVOILÀ À LA DIÈTE!
ZUT!
JIM DAVIS 10-5

GARFIELD VA FAIRE UN RÉGIME
HEP!
JIM DAVIS 10-6

UN RÉGIME IMBATTABLE
HÉ-HO!

POUR CEUX QUI SONT TROP GROS POUR ATTEINDRE LA TABLE
HÉ! UN PETIT COUP DE MAIN, S.V.P.!

Quel gros lard!

"QUEL GROS LARD!" EST-CE TOUT CE QUE TU SAIS DIRE?
Non

Tu pues des pieds!
JIM DAVIS 10-7

À : TOI
Date : 8/10
EN VOTRE ABSENC
M. GARFIELD
De RENOMMÉE MONDIALE
VEUILLEZ LE RAPPELER
X

GARFIELD!

À TABLE!
JIM DAVIS 10-8

© 1995 PAWS, INC./Distributed by Universal Press Syndicate

CROC

CROUCH
CROUCH
CROUCH

SNIF

WAAHH!

Alors, ce régime?
JIM DAVIS 10-9

Ouah!

J'ai la réponse à ma question

GARFIELD, SI TU TRICHES SUR TON RÉGIME...
JIM DAVIS 10-10

TU NE FAIS DU MAL QU'À TOI-MÊME!

OUILLE!

Plus un geste! Tu sais ce qui va se produire...
JIM DAVIS 10-11

Tu vas poser les pieds sur moi, je te dirai "Gros lard", tu vas perdre ton sang-froid et m'écraser

BON! POUVONS-NOUS COMMENCER?
Vas-y mon gros!

GARFIELD, JE TIENS À TE FÉLICITER DE T'EN TENIR À TA DIÈTE

DE LA MOUTARDE?!
JIM DAVIS 10-12

CE RÉGIME ME REND DINGUE! JE DOIS ÉLOIGNER TOUTE NOURRITURE DE MA PENSÉE!
DING DONG

© 1995 PAWS, INC./Distributed by Universal Press Syndicate
BISCUITS
BISCUITS
BISCUIT

Hop là!
AÏE!
JIM DAVIS 10-13

Concluons un marché
JIM DAVIS 10-14

Désormais, nous serons aimables l'un envers l'autre
D'ACCORD!
© 1995 PAWS, INC./Distributed by Universal Press Syndicate

Bien! À présent, dépose lentement ta boule de bowling
PAS FACILE, LA TRÊVE!

GARFIELD
GARFIELD®

SLURRP

AAAHHHHH
© 1995 PAWS, INC./Distributed by Universal Press Syndicate

SLURRRRRRRRP
AHHHHHH

SLURP
GARFIELD!!

SAIS-TU COMBIEN CETTE
MANIE EST DÉTESTABLE?

OUI!
JIM DAVIS 10-15

J'AI FLIRTÉ AVEC UN BEAU BRIN DE FILLE, GARFIELD
JIM DAVIS 10-16
NOS REGARDS SE SONT RENCONTRÉS, ELLE M'A SOURI

ET SON COPAIN M'A CONTRAINT À BOUFFER MES CHAUSSETTES
IL TE RESTERA TOUJOURS CE SOUVENIR

OÙ EST PASSÉ LE RESTE DU PAIN DE VIANDE?
IL NOUS A QUITTÉS

BURP

PAS ENCORE TOUT À FAIT!
JIM DAVIS 10-17

WOUFF! WOUFF!
JOLI COLLIER!

TE PLAÎT-IL VRAIMENT?
JIM DAVIS 10-18

JE VEUX DIRE...
WOUFF! WOUFF! WOUFF!

HELLO, JON!

QU'EST-CE QUE CES PLUMES?

DES RESTES!
JIM DAVIS 10-19

JE VAIS À UNE FÊTE!

Y METTRE UN FREIN, SANS AUCUN DOUTE!
JIM DAVIS 10-20

JE SAIS CE QU'IL TE FAUT, GARFIELD

TU AS BESOIN D'ÊTRE RASSURÉ QUANT À MON AFFECTION
JIM DAVIS 10-21

TU AS BESOIN D'ÊTRE FLATTÉ
J'AI BESOIN DE SAVOIR SI JE SUIS COUCHÉ SUR TON TESTAMENT!

GARFIELD

DEUX PLACES SUR LA CLÔTURE, S.V.P.

APRÈS VOUS, MA CHÈRE!

QUE FAISONS-NOUS ICI? NOUS DEVIONS ALLER AU SPECTACLE, PUIS SOUPER EN VILLE!

ATTENDS UN PEU!

VOICI LE SPECTACLE!
FLIP FLAP

SPLUT!
© 1995 PAWS, INC./Distributed by Universal Press Syndicate

ET VOICI LE SOUPER!
JIM DAVIS 10-22

SAIS-TU CE QUE J'AI VU HIER SOIR DANS LE SALON?

UNE SOURIS! ET SAIS-TU CE QUE ÇA SIGNIFIE?

QUE QUELQU'UN NE FAIT PAS SON BOULOT!
SUIS-JE VRAIMENT CONCERNÉ PAR CETTE CONVERSATION?
JIM DAVIS 10-23

TU ES UN CHAT!

ELLE EST UNE SOURIS!

PAF!
RAVI DE VOUS RENCONTRER!
JIM DAVIS 10-24

TCHOUF!
JIM DAVIS 10-25

GARFIELD!
HI! HI! HI!
© 1995 PAWS. INC./Distributed by Universal Press Syndicate

JE SUPPOSE QUE TU VAS BLÂMER LE CHAT

UNE PULSION NATURELLE M'INCITE À POURSUIVRE CETTE SOURIS

TAXI!
JIM DAVIS 10-26
© 1995 PAWS. INC./Distributed by Universal Press Syndicate

© 1995 PAWS, INC./Distributed by Universal Press Syndicate
JIM DAVIS 10-27
OÙ S'ARRÊTERA TA COMPLAISANCE?
JIM DAVIS 10-28
CE PETIT TRUC REND LES SOURIS DINGUES
© 1995 PAWS, INC./Distributed by Universal Press Syndicate
LE SON DU GRUYÈRE QUI VIEILLIT!

GARFIELD®

BLA
BLA
BLA
BLA

De retour après cette pause publicitaire

© 1995 PAWS, INC./Distributed by Universal Press Syndicate

ZOOM!

JIM DAVIS 10-29

SHOOM!

Et nous voici de retour!

UN SOURD GRINCEMENT FEND LE SILENCE DE L'OMBRE ALORS QUE S'OUVRE LE CERCUEIL DU COMTE DRAKUCHA...

© 1995 PAWS, INC./Distributed by Universal Press Syndicate
QUI REPART POUR UNE NUIT D'ERRANCE

GARFIELD! RAPPORTE-MOI MA SERVIETTE!
JIM DAVIS 10-30

LE COMTE DRAKUCHA S'ENVOLE DANS LA NUIT NOIRE...

© 1995 PAWS, INC./Distributed by Universal Press Syndicate
À LA RECHERCHE D'UNE NUQUE INVITANTE...

JIM DAVIS 10-31
À MOINS QUE CE NE SOIT UNE LANGUE FRAÎCHE!

BARON DES CANINES, HEUREUX DE VOUS VOIR!
JIM DAVIS 11-1
© 1995 PAWS, INC./Distributed by Universal Press Syndicate

VENEZ! VOUS DÎNEREZ À MA TABLE!

JE PARTAGERAI UNE NUQUE AVEC VOUS

LE RÈGNE DE TERREUR DU COMTE DRAKUCHA SE POURSUIT!
JIM DAVIS 11-2
© 1995 PAWS, INC./Distributed by Universal Press Syndicate

MINUIT SONNE!
JIM DAVIS 11-3

LE VENT S'ÉLÈVE

ET JE PARIE QUE LA LUNE EST ROUSSE
OÙ CACHES-TU TES VOLAILLES?

NE RÉSISTE PAS!

LES CHATS VAMPIRES N'EXISTENT PAS!

JIM DAVIS 11-4
C'EST MIEUX AINSI! LES GÂTEAUX N'ONT PAS DE NUQUE!

HUM...
ÇA Y EST, C'EST L'HEURE!
DE SE RENDRE FURTIVEMENT AU FRIGO POUR SE SUSTENTER
FROUCH FROUCH
FROUCH FROUCH FROUCH
CLIC
AAARRRRRGGHHHH!!
© 1995 PAWS, INC./Distributed by Universal Press Syndicate
JIM DAVIS 11-5

HI!
HI!
HI!
JIM DAVIS 11-6

QUE TRAMES-TU, GARFIELD?
JE NE TRAME RIEN

© 1995 PAWS. INC./Distributed by Universal Press Syndicate
J'AI DÉJÀ AGI!

JIM DAVIS 11-7

POURQUOI NE PAS CESSER LES HOSTILITÉS?
© 1995 PAWS. INC./Distributed by Universal Press Syndicate

VOILÀ QUI EST MIEUX!

"REGARDE, SUZIE! LE FACTEUR S'AMÈNE VERS NOUS"
JIM DAVIS 11-8

AU FAIT, JE DOIS VÉRIFIER LES TRAPPES!

"LE FACTEUR EST NOTRE AMI, RÉPONDIT SUZIE!"
CONTINUE DE LIRE!
© 1995 PAWS, INC./Distributed by Universal Press Syndicate

JE M'EXERCE À FEINDRE L'INNOCENCE
© 1995 PAWS, INC./Distributed by Universal Press Syndicate

GARFIELD, SAURAIS-TU QUI A VIDÉ LE FRIGO?
AVEC CES YEUX-LÀ?
JIM DAVIS 11-9

JE ME RAPPELLE LES JOURS GLORIEUX DE MA JEUNESSE

LES SAMEDIS SOIRS À DRAGUER SUR LA GRAND-RUE DANS MON VÉHICULE...

BIEN SÛR, JE DEVAIS RAMENER LE TRACTEUR AVANT DIX HEURES
EUF!
JIM DAVIS 11-10

J'AI DÉCIDÉ D'AFFICHER UNE NOUVELLE ATTITUDE POSITIVE

QUI EST, SANS AUCUN DOUTE, VOUÉE À L'ÉCHEC!
JIM DAVIS 11-11

"GARFIELD"
"Ignatz" © King Feature Syndicate

GARFIELD

GARFIELD

RFIELD
S
P

S
RFIELD
P

ARFIE

GARF

RFIELD
S
P
JIM DAVIS 11-12

GARFIELD
© 1995 PAWS, INC./Distributed by Universal Press Syndicate

BONSOIR, MESDAMES ET MESSIEURS!
CLAP!
CLAP!
CHOU!

HÉ! POURQUOI ME HUER? JE N'AI PAS ENCORE COMMENCÉ!

JIM DAVIS 11-13
MON PUBLIC EST CLAIRVOYANT!

JE VOUS EN PRIE, POUR CETTE FOIS, PAS DE HUÉES, D'ACCORD?
JIM DAVIS 11-14

D'ACCORD!
MERCI!

POUAH!
POUAH!
POUAH!
POUAH!
POUAH!
POUAH!

BLA
BLA
BLA
BLA
BLA
BLA
BLA
BLA
HÉ! J'EXÉCUTE UN NUMÉRO! POURRIEZ-VOUS VOUS TAIRE ET ME REGARDER?
SI!
NAVRÉ!
BOU!
BOU!
JIM DAVIS 11-15
© 1995 PAWS. INC./Distributed by Universal Press Syndicate

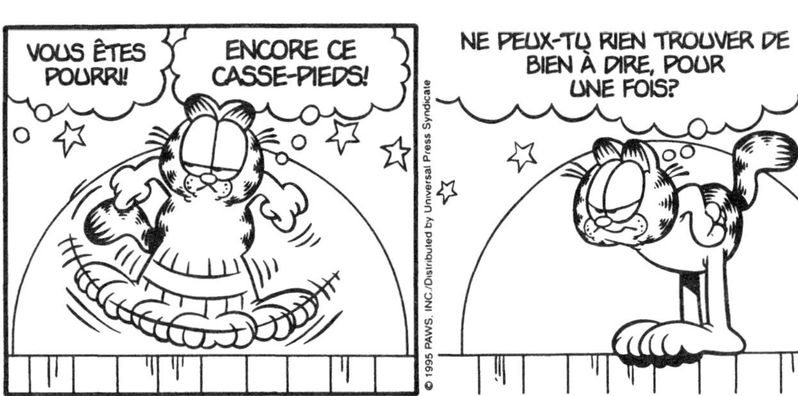
VOUS ÊTES POURRI!
ENCORE CE CASSE-PIEDS!
© 1995 PAWS. INC./Distributed by Universal Press Syndicate
NE PEUX-TU RIEN TROUVER DE BIEN À DIRE, POUR UNE FOIS?

LA CLÔTURE EST VRAIMENT D'ÉQUERRE!
JIM DAVIS
11-16

MERCI DE VOS APPLAUDISSEMENTS!
J'AI DIT : "MERCI DE VOS APPLAUDISSEMENTS!"
MERCI! MERCI! OUAH! VOUS ÊTES TROP GÉNÉREUX! MERCI!
CLAP CLAP
IL Y AURA UN ENTRACTE DE QUINZE MINUTES
LE TEMPS QUE JE PRENNE UNE DOUCHE
ET QUE VOUS RECHARGIEZ VOS CANONS!
JIM DAVIS 11-17
JIM DAVIS 11-18
© 1995 PAWS, INC./Distributed by Universal Press Syndicate
© 1995 PAWS, INC./Distributed by Universal Press Syndicate

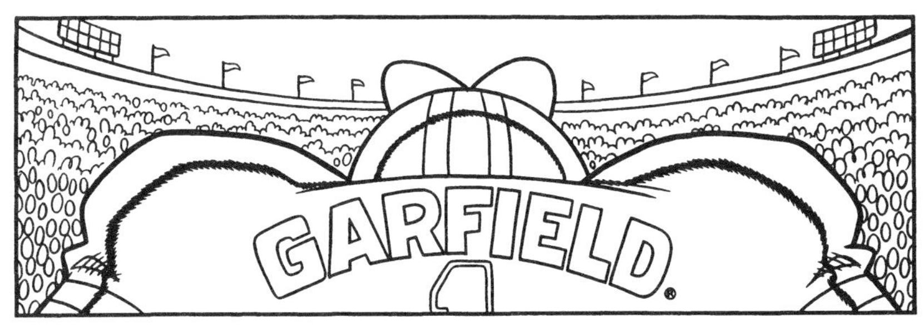
GARFIELD®

PLOUP
PLOUP
PLOUP
PLOUP
PLOUP

PLOUP
PLOUP
PLOUP
PLOUP
JIM DAVIS 11·19

COUIC
COUIC
COUIIIIC
PLOUP
PLOUP
PLOUP

PLOUP
PLOUP
PLOUP
PLOUP
PLOUP
© 1995 PAWS, INC./Distributed by Universal Press Syndicate

Z
PLOUP
PLOUP
PLOUP

Z
PLOUP
PLOUP
PLOUP
PLOUP

Z

LA VIE PEUT-ELLE ÊTRE PLUS BELLE?

SI OUI, GARDEZ-LA POUR VOUS!
JIM DAVIS 11-20

BLUP

OUAH! VITE, IL M'EN FAUT!
JIM DAVIS 11-21

JE TRAVERSE UNE CRISE IDENTITAIRE
JIM DAVIS 11-22

MEU!

C'EST JUSTE UNE BLAGUE!
EN ES-TU SÛR? NOUS N'AVONS PLUS DE LAIT!

SAUTE SUR LE CHAT... BLA, BLA, BLA

À L'AIDE! À L'AIDE! ET CETERA...
JIM DAVIS 11-23

JE PENSE QU'IL NOUS FAUDRAIT RÉINVENTER NOTRE RELATION

HÉ! REGARDEZ! UN COLLIER À PUCES!
HA! HA! HA! HAAA!

HÉ, LE CHAT! NOUS CRACHONS SUR TON COLLIER!
OUAIS!
PFFT!
PFFT!
PFFT!

NOUS DANSONS SUR TON COLLIER!
TAM TI DELAM!
LE MOMENT EST VENU DE REMPLACER MON VIEUX COLLIER À PUCES
JIM DAVIS 11-24

LE MONDE EST BIEN PETIT

COMPARÉ À GARFIELD!
LA FERME!
JIM DAVIS 11-25

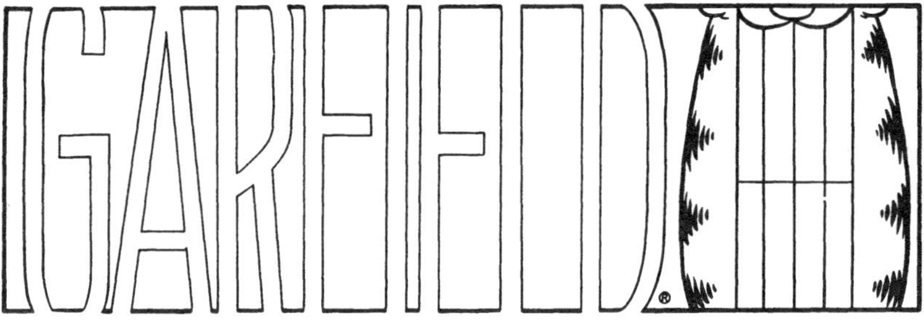
GARFIELD

AÏE!

SMACK
JIM DAVIS 11-26

LES ARAIGNÉES GÉANTES, NÉCESSITENT L'ÉDITION DU DIMANCHE
AÏ.... ÏÏEEE!!

SENSASS!

LA NATURE EST UNE CHOSE FASCINANTE ET MERVEILLEUSE, HEIN GARFIELD?
OUAIS!

KLING!
JIM DAVIS 11-27

TCHAC!
BELANG!
JIM DAVIS 11-28

J'AI LE PLAISIR DE T'ANNONCER QUE J'AI DÉCIDÉ D'ÊTRE PLUS GENTIL ENVERS MES AMIS ANIMAUX

VRAIMENT?
VRAIMENT

HÉ! GROS-LARD! ESPÈCE DE GROS-GRAS VENTRU! PLEIN DE SOUPE EMPÂTÉ! REPLET ET VENTRIPOTENT! LE VENTRE COMME UN TONNEAU!
J'ENTENDS DÉJÀ LE SON QU'ELLE FERA EN S'ÉCRASANT
JIM DAVIS 11-29

QUI ES-TU?
LE FANTÔME DE L'ARAIGNÉE QUE TU AS ÉCRASÉE HIER!
JIM DAVIS 11-30

TCHAC!

PRATIQUONS NOTRE SOURIRE FACTICE!
JIM DAVIS 12-1
HÉ, GARÇON!
N'EST-CE PAS UN VRAI SOURIRE?
TRICHEUR!
© 1995 PAWS, INC./Distributed by Universal Press Syndicate
CE LAIT EST IMBUVABLE
COMMENT JE LE SAIS?
LE FAIT QU'IL TIENNE TOUT SEUL, SANS VERRE, M'A CONVAINCU!
© 1995 PAWS, INC./Distributed by Universal Press Syndicate
JIM DAVIS 12-2

Garfield

PROUF!

HI! HI! HI! HI! HI!
PAUVRE CHIEN!
JIM DAVIS 12-3

SEUL UN IMBÉCILE SERAIT HEUREUX LE LUNDI!

JIM DAVIS 12-4
© 1995 PAWS, INC./Distributed by Universal Press Syndicate

MERCI POUR LE SOUTIEN VISUEL, ODIE!

AÏE!

© 1995 PAWS, INC./Distributed by Universal Press Syndicate

LE VIEUX GAG DU MIEL AJOUTÉ AU SHAMPOOING!
JIM DAVIS 12-5

HUM! LES OISEAUX SE SONT ENVOLÉS

OU ILS DEVIENNENT SOUPÇONNEUX

RIEN À SIGNALER, COMMANDANT!
JIM DAVIS 12-6

JIM DAVIS 12-7

NOËL APPROCHE!

JIM DAVIS 12-8

DÉROULE
DÉROULE
DÉROULE
DU PAPIER HYGIÉNIQUE?
MA LISTE DE CADEAUX!

DRINNG!
JIM DAVIS 12-9

C'EST LE DÉBUT OFFICIEL DU TEMPS DES FÊTES!

J'AI RÊVÉ À MON PREMIER PLUM-PUDDING!

GARFIELD

BLUP!

BLUP!
BLUP!

BLUP!
BLUP!
BLUP!

BLUP!
BLUP!
BLUP!

PROUF

GAR-
FIELD!
JIM DAVIS 12-10

JON, VOIS CE QUE J'AI TROUVÉ!

UNE TROUSSE DE DÉMARRAGE POUR NOËL!
© 1995 PAWS, INC./Distributed by Universal Press Syndicate

IL SUFFIT D'Y AJOUTER UN SAPIN
JIM DAVIS 12-11

SAPI
DE
NOË
LES BEAUX SAPINS SONT TELLEMENT NOMBREUX
© 1995 PAWS, INC./Distributed by Universal Press Syndicate

J'AI DU MAL À EN CHOISIR UN SEUL...
ODIE AUSSI...
JIM DAVIS

SAPINS
DE
NOËL
IL LES AIME TOUS!
12-12

OH! HISSE! OH! HISSE!
JIM DAVIS 12-13
PEUT-ÊTRE AURAIS-JE MIEUX FAIT DE LE HISSER DANS L'AUTRE SENS?
© 1995 PAWS, INC./Distributed by Universal Press Syndicate
CROIS-TU, EINSTEIN?
J'HÉSITE. LE SAPIN NE ME SEMBLE PAS TOUT À FAIT DROIT
JIM DAVIS 12-14
QU'EN DITES-VOUS?
© 1995 PAWS, INC./Distributed by Universal Press Syndicate
TOUT DÉPEND DE L'ANGLE SOUS LEQUEL ON VOIT LA CHOSE!

ET DANSONS, ET CHANTONS JUSQU'AU RÉVEILLON! TRALALALALA, TRALALALA-LA-LA-LA...
12-15

TRALALA-LA-LA-LA-TRA-LA-LA-LA-LA, LA-LA, LA-LA! TRALALA-LA-LA-LA, LA-LA-LA-LA-, LA-LA, LA-LA!!
© 1995 PAWS, INC./Distributed by Universal Press Syndicate

QUAND ON SE LANCE DANS LES TRALALAS, IMPOSSIBLE DE S'ARRÊTER!
JIM DAVIS

© 1995 PAWS, INC./Distributed by Universal Press Syndicate

JIM DAVIS 12-16
GAR-FIELD!!!

GARFIELD®

TAP
TAP
TAP

TINK
TINK
© 1995 PAWS, INC./Distributed by Universal Press Syndicate
JIM DAVIS 12-17

BONG

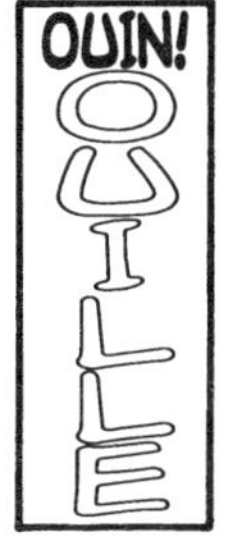
OUIN!
OUILLE

NE RESTE PAS LÀ COMME UN IDIOT! FAIS QUELQUE CHOSE!

VOYEZ LES DÉCORATIONS VIVANTES
LES SEULES DÉCORATIONS HUMAINES AU MONDE
OOOOOO
OOOOO
QUEL MESSAGE VOULEZ-VOUS TRANSMETTRE, M. ARBUCKLE?
J'AI UN CHAT À DONNER!
HO! HO! HO! TRÈS DRÔLE!
TÉLÉ

JIM DAVIS 12-18

NON, JE N'AI PAS ENCORE ACHETÉ TON CADEAU DE NOËL
NON PAS QUE J'INSISTE...

"JOYEUX NOËL, FILS CHÉRI!"
JIM DAVIS 12-19

LA PLUPART DES MÈRES GLISSENT QUELQUES BILLETS DANS LEURS CARTES DE VŒUX

CELLE DE JON GLISSE UN JAMBON CUIT!

FAIRE PÂTISSERIE EST UNE TRADITION DE NOËL!
JIM DAVIS 12-20

ON FAIT DES BISCUITS DE NOËL, DES DRAGÉES, DES PUDDINGS, DES SAINT-HONORÉS...

QUE T'EST-IL ARRIVÉ?
J'AI DÉFENDU LA TRADITION!

HMMM
JIM DAVIS 12-21

GARFIELD
HMMM
TCHIC
TCHIC
TCHIC

HMMM
ODIE

WOUF
MERCI

RIEZ TANT QUE VOUS VOULEZ, MAIS ELLE FAIT LE MEILLEUR PAIN D'ÉPICE QUI SOIT!
CROUCH CROUCH

HÉ! VOUS, LÀ! UNE SEULE CANNE EN SUCRE D'ORGE!

REDONNEZ-LES-MOI! HÉ! HO! AÏE! IL GRIFFE LE MALAPPRIS!

AÏE! AÏE! OUILLE! GARDES! QU'ON L'EXPULSE ET VITE! GARDES!
VOTRE PHOTO AVEC LE PÈRE NOËL

GARFIELD

VOYONS VOIR...

LA MAISON EST ILLUMINÉE...

LES BAS PENDENT À LA CHEMINÉE, LES BISCUITS ET LE LAIT SONT SUR LA TABLE... AI-JE OUBLIÉ QUELQUE CHOSE?

MAIS OUI!
SNAP!
© 1995 PAWS, INC./Distributed by Universal Press Syndicate

GARFIELD
ODIE
JON
JIM DAVIS 12-24

364 JOURS PAR ANNÉE, MÊME UN LEVIER NE PEUT SORTIR LES GARÇONS DU LIT
JIM DAVIS 12-25

PAR CONTRE, LE MATIN DE NOËL...
ODIE
GARFIELD

C'EST INJUSTE! ON ATTEND, ON ATTEND ET ON ATTEND ENCORE QUE VIENNE NOËL...

PUIS, SOUDAIN, IL EST PASSÉ

UN PEU COMME UN ÉTERNUEMENT!
JIM DAVIS 12-26

OÙ EST MON NŒUD PAPILLON À HÉLICES?

MON POULET EN CAOUTCHOUC! AS-TU VU MON POULET EN CAOUTCHOUC ET MON CLAIRON?!

L'APPROCHE DE LA NOUVELLE ANNÉE AGIT SUR SON SYSTÈME NERVEUX
OÙ EST PASSÉE LA CHÈVRE?!
JIM DAVIS 12-27

JIM DAVIS 12-28

PSIIIIIFT

GARFIELD! LA ST-SYLVESTRE N'EST QUE DANS TROIS JOURS!
IL FAUT S'EXERCER POUR ÊTRE BON

VOYONS, QUE DEVRAIS-JE PORTER AU RÉVEILLON DE LA ST-SYLVESTRE?... DES POIS, DES CARREAUX OU DES RAYURES?

HUM... LES POIS, SANS HÉSITATION!
JIM DAVIS 12-29

LE NOUVEL AN APPROCHE À GRANDS PAS ET TU SAIS CE QUE ÇA SIGNIFIE...

NOUS DEVONS CHANGER LE CALENDRIER!
JANVIER
JIM DAVIS 12-30

NOUS N'AVONS PAS CONNU PAREILLE FRÉNÉSIE DEPUIS LES GRANDS BOULEVERSEMENTS ENTOURANT LA RÉORGANISATION DU TIROIR À CHAUSSETTES

Garfield

TU SAIS, GARFIELD...
© 1995 PAWS, INC./Distributed by Universal Press Syndicate

L'ARRIVÉE D'UNE NOUVELLE ANNÉE INCITE À LA RÉFLEXION

ET AU DIALOGUE QUANT AUX VIRAGES QU'IL NOUS FAUT AMORCER

SAISIS-TU BIEN MON PROPOS?
JIM DAVIS 12-31

OUAIS, TU DIS QUE PERSONNE NE NOUS A INVITÉS À RÉVEILLONNER!

BONNE ET HEUREU-

© 1996 PAWS INC./Distributed by Universal Press Syndicate
SPLUT!

LUNDI!
JIM DAVIS 1-1

UNE NOUVELLE ANNÉE, GARFIELD! NOUS REPARTONS À ZÉRO!
JIM DAVIS 1-2

© 1996 PAWS INC. Distributed by Universal Press Syndicate

GARFIELD!
LA PREMIÈRE BAVURE!

JIM DAVIS 1-3

BERK!
BIEN JOUÉ ODIE!

GARE AU CHIEN
JIM DAVIS 1-4

CAUSONS MODÉRATION EN TOUTE CHOSE...

AAAAAHHH!

REGARDE COMMENT ON FAIT POUR ATTIRER L'ATTENTION D'UNE FILLE!

JIM DAVIS 1-5
SA RÉACTION?
TU VAS LA RECEVOIR DANS 3, 2, 1...

JIM DAVIS 1-6
JE NE VOIS PAS COMMENT M'OCCUPER

C'EST UN PROJET AMBITIEUX, JON

JE NE VOIS PAS POURQUOI ON CHERCHERAIT À S'OCCUPER

GARFIELD®

ENFIN, LE VOICI!

LE PREMIER FLOCON DE L'HIVER!

© 1996 PAWS, INC /Distributed by Universal Press Syndicate

JIM DAVIS 1-7

TOC TOC
TOC
TIC TIC
TIC
TAC TAC
JIM DAVIS 1-8

QUI PEUT FRAPPER AUSSI JOLIMENT À LA PORTE?
TOC TOC
TOC
TIC TIC TIC
TAC TAC
TAC

© 1996 PAWS. INC./Distributed by Universal Press Syndicate

NERMAL... IL Y A DES LUSTRES!
OUAIS
© 1996 PAWS. INC. Distributed by Universal Press Syndicate

T'AI-JE MANQUÉ?

UN ORTEIL S'ENNUIE-T-IL DE SES CUTICULES?
TOI AUSSI, TU M'AS MANQUÉ!
JIM DAVIS 1-9

NERMAL!
JIM DAVIS 1-10

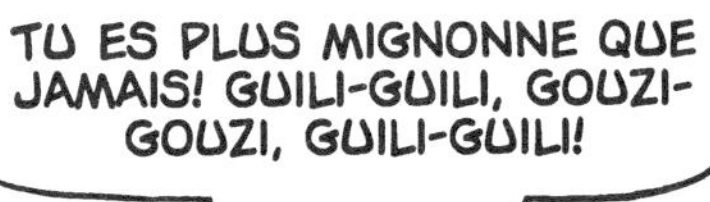
TU ES PLUS MIGNONNE QUE JAMAIS! GUILI-GUILI, GOUZI-GOUZI, GUILI-GUILI!

QUE FAIS-TU?
J'AI BESOIN D'UN SAC!

PAS FACILE, TU SAIS, DE TOUJOURS ÊTRE JOLIE COMME MOI!
TU PARLES!

J'AI MÊME EMBAUCHÉ UN ENTRAÎNEUR VISAGISTE!

IL M'IMPOSE CINQUANTE TRACTIONS DES PAUPIÈRES CHAQUE JOUR
VILAIN BOURREAU!
JIM DAVIS 1-11

NERMAL, T'ARRIVE-T-IL PARFOIS DE N'ÊTRE PAS JOLIE?

SI, BIEN SÛR! NULLE D'ENTRE NOUS N'Y ÉCHAPPE
QUE FAIS-TU ALORS?

JE PRÉTENDS ÊTRE LAIDE
JIM DAVIS 1-12

J'AI BOUFFÉ QUANTITÉ DE GIBIER À PLUMES DANS MA JEUNESSE
EST-CE VRAI?

EN ARCTIQUE, J'AI MANGÉ UN PINGOUIN À MOI SEUL
BIGRE!

EN RECULANT DANS LE TEMPS, J'AI MANGÉ UN PTÉRODACTYLE
HÉ! MINUTE PAPILLON!
JIM DAVIS 1-13

SOLDE
PIZZA

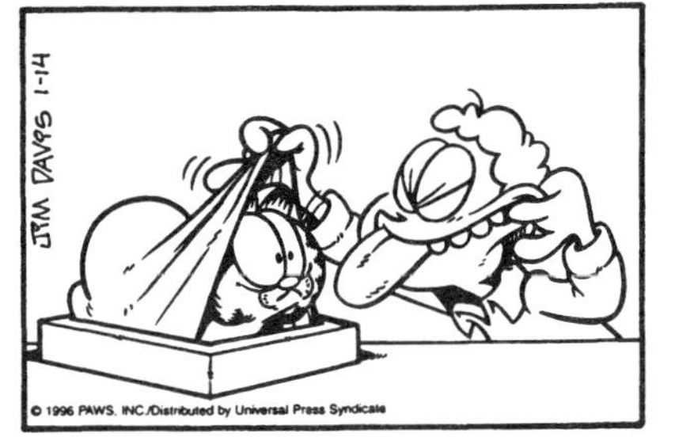
JIM DAVIS 1-14

COUCHE-TOI!

C'EST UNE BELLE MATINÉE

JIM DAVIS 1-15
ÇA DÉPEND DE L'ENDROIT OÙ L'ON EST ASSIS!

GARFIELD, JE M'APPRÊTE À ENTRER!
QU'EST-CE QUE JE VAIS Y GOÛTER!
JIM DAVIS 1-16

TU FERAIS MIEUX DE N'ÊTRE PAS SUR MON FAUTEUIL!
JE TREMBLE!

J'ENTRE À PRÉSENT!
RÉVEILLE-MOI APRÈS LA RACLÉE!

JIM DAVIS 1-17

GARFIELD, TU EXERCES UNE MAUVAISE INFLUENCE SUR ODIE

PROUVE-LE!
MIAOU!

REGARDE CE SOLEIL RADIEUX!
JIM DAVIS 1-18

D'ACCORD!

ET APRÈS?

UN MANQUE DE COMMUNICATION, GARFIELD, VOILÀ LE PROBLÈME!
JIM DAVIS 1-19

NOUS DEVONS ALLER AU-DEVANT D'AUTRUI
Boum

ET PARLER LIBREMENT À NOS FRÈRES HUMAINS...
NOUS VENONS D'ÉCRASER UN MIME

WOUFF WOUFF
BLUUUP

J'IMAGINE QUE TANT D'ABOIEMENTS DOIVENT DONNER TRÈS SOIF
JIM DAVIS 1-20

OUAAAH! BLUUUUUUUP

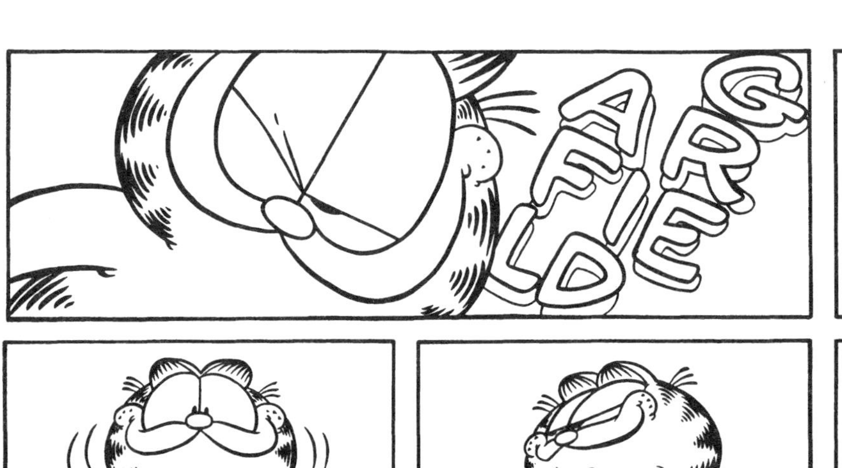
GARFIELD

À PRÉSENT VOUS SAVEZ COMMENT ON SE SENT QUAND ON EST LE DERNIER BEIGNE!
© 1996 PAWS, INC./Distributed by Universal Press Syndicate
JIM DAVIS 1-21

QUAND DONC APPRENDRAI-JE À NE PLUS GRIMPER AUX ARBRES?

EST-CE QUE J'APPRENDRAI UN JOUR?
JIM DAVIS 1-22

PAS AUJOURD'HUI, ÇA C'EST SÛR!

QU'EST-CE QUI ME POUSSE À FAIRE CELA?... EST-CE POUR ATTIRER L'ATTENTION?...
JIM DAVIS 1-23

OU PARCE QUE JE SUIS STUPIDE?

HÉ LES GARS! REGARDEZ LE GROS CHAT STUPIDE!
... OU LES DEUX?

HÉ LE CHAT! JE PEUX TE PRENDRE EN PHOTO?
UN REPORTER!

J'EN FERAI UN GRAND ARTICLE RÉDIGÉ SOUS L'ANGLE HUMAIN
CE NE SERA QUE SENSATIONNALISME ÉHONTÉ!
JIM DAVIS 1-24

© 1996 PAWS, INC./Distributed by Universal Press Syndicate
FLASH!

COINCÉ DANS CE SATANÉ ARBRE
JIM DAVIS 1-25

RIEN NE POUVAIT ARRIVER DE PIRE

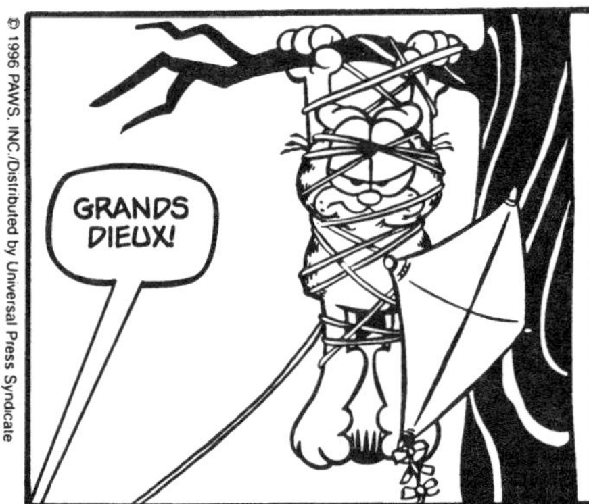
GRANDS DIEUX!

ZUT ALORS! LA NOIRCEUR VIENT

FLAP! FLAP!
FLAP! FLAP!
FLAP! FLAP!
FLAP! FLAP!
FLAP! FLAP!
FLAP!

VOUS ÊTES NOUVEAU ICI?
JIM DAVIS 1-26

TIENS BON, GARFIELD! ME VOICI!

CIEL! CETTE BRANCHE N'EST PAS...
JIM DAVIS 1-27

Garfield®

SNIF
SNIF

SNIF
SNIF
SNIF

SNIF
SNIF
SNIF
SNIF

SNIF
SNIF
SNIF
SNIF
SNIF
SNIF

SNIF
SNIF
SNIF
SNIF
SNIF
SNIF

?

JIM DAVIS 1·28

TE CONSIDÈRES-TU COMME UN CHAT LOYAL, GARFIELD?
UNE MINUTE!

BIEN! LE FRIGO EST PLEIN!

OUI, JE SUIS UN CHAT LOYAL!
JIM DAVIS 1-29

JE SUIS DE MAUVAIS POIL
JIM DAVIS 1-30

JE TE DÉTESTE
QUAND JE SUIS DE MAUVAIS POIL, TOUT LE MONDE EST DE MAUVAIS POIL

DORS PAISIBLEMENT, ODIE

OUBLIE JUSQU'À L'EXISTENCE DES VAMPIRES...

JIM DAVIS 1-31

GARFIELD, MON POISSON A DISPARU!
JIM DAVIS 2-1

ET LE BOCAL CONTIENT UNE POMME DE TERRE!

TU ME PRENDS POUR UN ABRUTI?
DEUX SEMAINES QU'IL NOURRIT CETTE POMME DE TERRE!

JENNY, JON À L'APPAREIL. VOULEZ-VOUS SORTIR AVEC MOI CE SOIR?
JIM DAVIS 2-2
ELLE M'A MIS EN ATTENTE
© 1996 PAWS, INC./Distributed by Universal Press Syndicate
LE DÉNI EST UNE PULSION PUISSANTE
PAS FACILE D'ÊTRE COOL, GARFIELD
LES VÊTEMENTS SONT ONÉREUX
© 1996 PAWS INC./Distributed by Universal Press Syndicate
HÉ! LA NOUILLE! JOLI NŒUD PAPILLON!
PUIS IL FAUT COMPOSER AVEC LA JALOUSIE
JIM DAVIS
2-3

Garfield

EUF...

WOUF WOUF WOUF
WOUF
WO
WOU

Au sommaire aujourd'hui

TU DEVRAIS MAIGRIR

GRATT
GRATT
GRATT

EUF
JIM DAVIS 2·4

ENTENDU, GARFIELD, SUPPRIMONS TOUTE RÈGLE RÉGISSANT LE COMBAT DE BOULES DE NEIGE

UN COMBAT SANS RÈGLE, D'ACCORD?
JIM DAVIS 2-5

SPLUT!
D'ACCORD!

TAP
TAP
TAP

VOILÀ!

JIM DAVIS 2-6

GARFIELD, JE SUIS PRÊT! PRÉPARE-TOI À...
PAS LE DROIT D'UTILISER UNE SOUFFLEUSE!
JE PRÉFÈRE PARLER DE "FORCE DE FRAPPE SUPÉRIEURE"
JIM DAVIS 2-7
© 1996 PAWS, INC./Distributed by Universal Press Syndicate
TAP TAP
JIM DAVIS 2-8
© 1996 PAWS, INC./Distributed by Universal Press Syndicate

ZING!
JIM DAVIS

HA! RATÉ!
2-9

GARFIELD, FAISONS UNE TRÊVE!

TU SAIS CE QU'EST UNE TRÊVE, N'EST-CE PAS?

C'EST UN ENGAGEMENT MUTUEL...
JIM DAVIS 2-10

GARFIELD

© 1996 PAWS, INC./Distributed by Universal Press Syndicate

JIM DAVIS 2-11

TU NE POURRAIS PAS ÊTRE PLUS PARESSEUX, SI TU ESSAYAIS!

ON N'ESSAIE PAS D'ÊTRE PARESSEUX, MONSIEUR L'EXPERT!
JIM DAVIS 2-12

JOLI CHAPEAU!
JIM DAVIS 2-13

CHAPEAU?

IL DOIT PARLER DE MON COUVRE-JAMBON

GARFIELD!
JIM DAVIS 2-14

ET SI QUELQU'UN AVAIT VOULU UNE PART DE GÂTEAU?
© 1996 PAWS. INC./Distributed by Universal Press Syndicate

OUF!... VOILÀ POURQUOI JE N'EN AI FAIT QU'UNE BOUCHÉE!

LASSIE, REVIENS!
© 1996 PAWS. INC./Distributed by Universal Press Syndicate

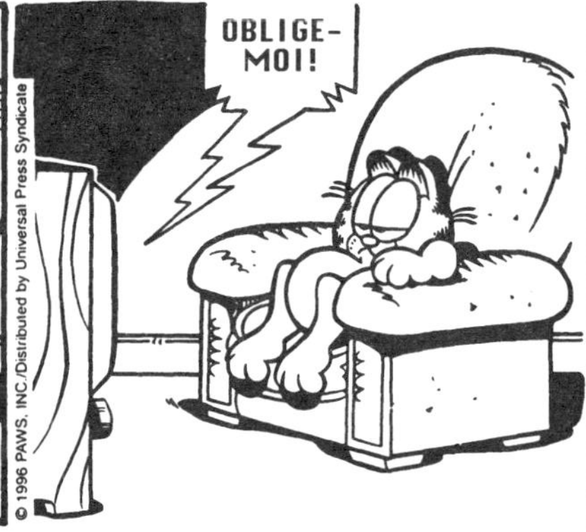
OBLIGE-MOI!

LA VÉRITABLE HISTOIRE!
JIM DAVIS 2-15

JIM DAVIS 2-16
C'EST VENDREDI SOIR, GARFIELD
CE WEEK-END, JE VAIS FAIRE CE QUE JE N'AI JAMAIS OSÉ
JE VAIS JOUER DE L'ACCORDÉON AVEC LES PIEDS!
SA QUALITÉ DE VIE AUGMENTE!
© 1996 PAWS, INC./Distributed by Universal Press Syndicate
JE ME RÉSOUS À ÊTRE PLUS DÉCIDÉ!
AS-TU DÉCIDÉ DE CE QUE TU VOULAIS MANGER HIER SOIR?
JIM DAVIS 2-17
© 1996 PAWS, INC./Distributed by Universal Press Syndicate

GARFIELD

JIM DAVIS 2-18

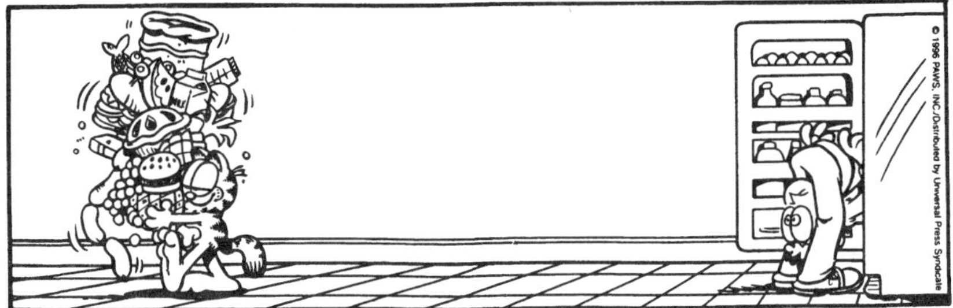
© 1996 PAWS, INC./Distributed by Universal Press Syndicate

PLUS QU'UN BISCUIT!
© 1996 PAWS. INC /Distributed by Universal Press Syndicate

SAIS-TU CE QUE ÇA SIGNIFIE?
QUE JE VAIS LE MANGER?
JIM DAVIS 2-19

QUE TU AS MANGÉ TOUS LES AUTRES!
AH! OUI! ÇA AUSSI!

LE DERNIER BISCUIT
© 1996 PAWS. INC /Distributed by Universal Press Syndicate
JIM DAVIS 2-20

UN BISCUIT DURCI QUI TRAÎNE AU FOND DU SAC DEPUIS DIX SEMAINES ET QUI SENT VAGUEMENT LE MOISI

TU VAS LE BOUFFER, NON?
VOLONTIERS!

SI TU MANGES LE DERNIER BISCUIT, JE SERAI TRÈS TRISTE

JIM DAVIS 2-21
ÇA IRA, ÇA IRA MIEUX!
MINOUCHE MINOUCHE

LE DERNIER BISCUIT

TU POURRAIS ÊTRE UN CHIC TYPE ET ME LE LAISSER

OU TU POURRAIS ÊTRE UN CHAT!
JIM DAVIS 2-22

J'AIMERAIS MANGER LE DERNIER BISCUIT, POUR UNE FOIS!

MERCI BEAUCOUP!
JIM DAVIS 2-23

IDIOT!

LE DERNIER BISCUIT

JE L'AI VU EN PREMIER!

TU L'AS AUSSI VU EN DERNIER!
JIM DAVIS 2-24

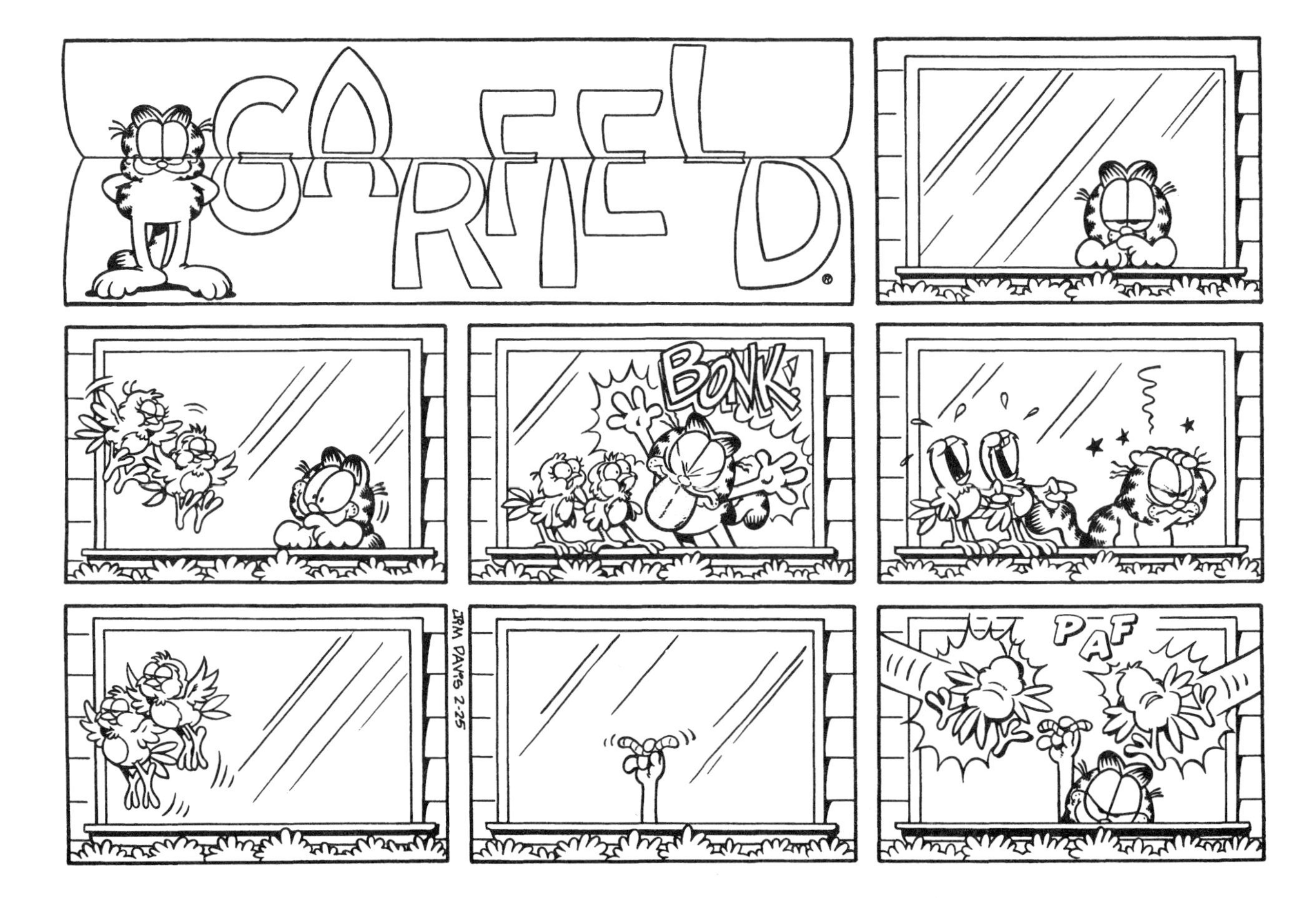
GARFIELD
BONK!
JIM DAVIS 2-25
PAF

JE FILE AU MAGASIN. TE FAUT-IL QUELQUE CHOSE?

UNE SOURIS DE CAOUTCHOUC? UNE PELOTE DE LAINE?

... UNE ANTENNE PARABOLIQUE?
EN BLEU S.V.P.
JIM DAVIS 2-26

AÏE! JE LAÇAIS MES CHAUSSURES ET MON DOS NE SUPPORTE PLUS MON POIDS

FAIS QUELQUE CHOSE, GARFIELD!

JIM DAVIS 2-27

Aïe! je me suis coupé!

Ouille! je viens de me brûler!

Je vais plutôt commander une pizza
"LA CUISINE DES ANDOUILLES"
JIM DAVIS 2·28

GARFIELD, PUIS-JE TE PARLER UN INSTANT?

COMMENT EXPLIQUES-TU CECI?
QUESTION INTÉRESSANTE! JE DIRAIS QUE TU PARLES AU TÉLÉPHONE

AS-TU ENCORE JOUÉ AVEC LE POT DE COLLE?
OUAH! TU DEVRAIS ME MONTRER COMMENT FAIRE!
JIM DAVIS 2·29

GARFIELD, JE TE PRÉSENTE DARLA
BONJOUR! JE M'APPELLE DARLA!

ENFIN! MON ÉGALE AU PLAN INTELLECTUEL!

BONJOUR! JE M'APPELLE DARLA!
TU TE FLATTES, JON!
JIM DAVIS 3-1

ON ME DEMANDE POURQUOI JE JOUE DE L'ACCORDÉON

SAIS-TU POURQUOI?

PARCE QUE J'AI LE DIABLE AU CORPS!
BÉBÉ, IL FUT TROUVÉ PAR DES DEUX DE PIQUE QUI L'ONT ÉLEVÉ
JIM DAVIS 3-2

GARFIELD

CLIC

Jon, ici Harold, ton perroquet parlant, aussi rare qu'onéreux!

Le chat m'a pris en filature!

Je capte cette vidéo pour que... Noooooon!

AIEEEE!

GARFIELD!
BURP!

GARFIELD, JE VIENS D'APERCEVOIR UNE SOURIS!

DANS LA CUISINE!

ELLE POUSSE UN CHARIOT DE SUPERMARCHÉ!
DEVRAI-JE EN VENIR À ME LEVER?
JIM DAVIS 3-4

COMMENT SE FAIT-IL QUE J'AIE VU UNE SOURIS SUR LA TABLE?
NORMALEMENT, TU NE L'AURAIS PAS VUE

MAIS LE GROS EDDY TRAÎNE DE LA PATTE!
JIM DAVIS 3-5

LA MAISON EST PLEINE DE SOURIS ET TU RESTES LÀ, SANS BOUGER!

... ET ÇA SE DIT UN CHAT!

MEU!

CETTE SOURIS VA MOURIR!

CE QUI TOMBE SOUS LE SENS

EN EFFET, ELLE N'EST PLUS TRÈS JEUNE!

HÉ! SOURIS!
LA SOURIS N'HABITE PLUS ICI

ALORS, QUI ÊTES-VOUS?
UN LÉMURE HURLANT AUX CROCS ACÉRÉS

C'EST LE MOMENT DE LA BONNE ET DE LA MAUVAISE NOUVELLES...
JIM DAVIS 3-8

TON MAÎTRE NE SEMBLE PAS NOUS AIMER
JIM DAVIS 3-9

LES SOURIS LUI FONT UN EFFET PLUTÔT...

COMME LORSQU'IL MONTE SUR LE FAUTEUIL ET QU'IL CRIE?
ÇA AUSSI!

GARFIELD

GARFIELD!

RENDS-MOI CE MAGAZINE!

AAAAHH!
JIM DAVIS 3-10

VOICI MON BULLETIN DE SIXIÈME ANNÉE!

MES PARENTS FURENT SI FIERS!

"CE TRIMESTRE JON N'A PLUS MIS SES CRAIES DE CIRE DANS SON NEZ"
JIM DAVIS 3-11

GARFIELD, MON FRONT COMMENCE À SE DÉGARNIR
JIM DAVIS 3-12

MAIS ÇA NE SE VOIT PAS ENCORE

HÉ! LE COCO
HEUREUX HASARD!